Irisées

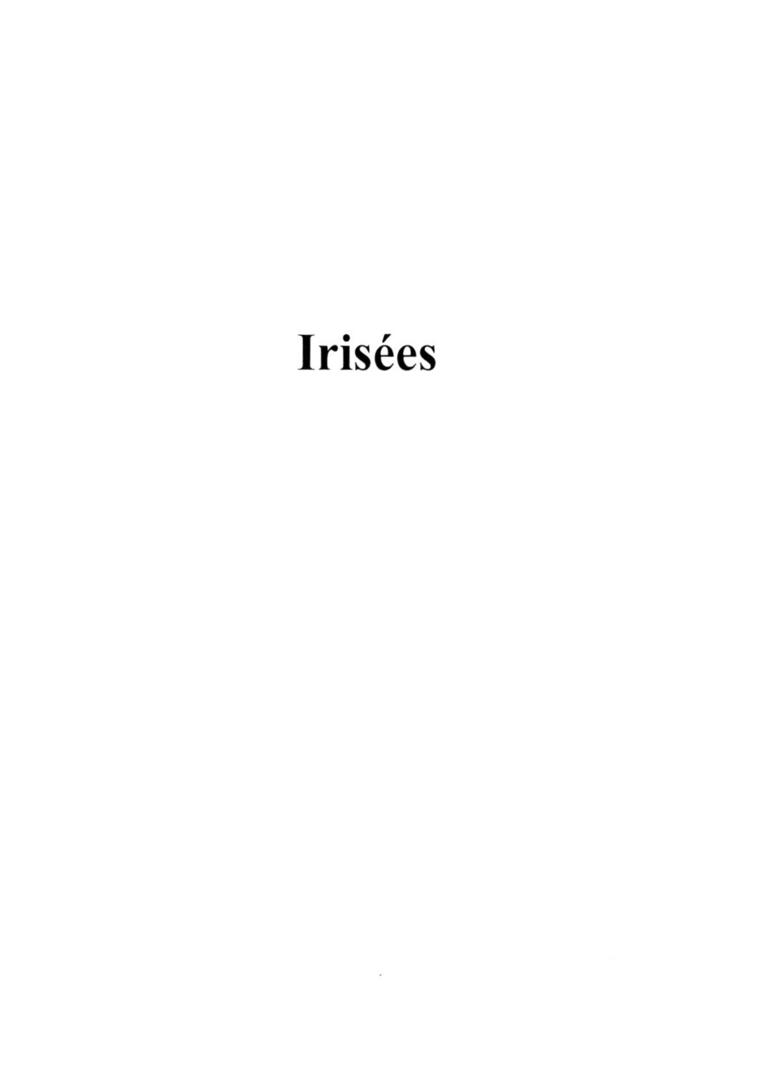

Nicolas Minair

Irisées

Recueil

ISBN : 979-10-377-7419-4

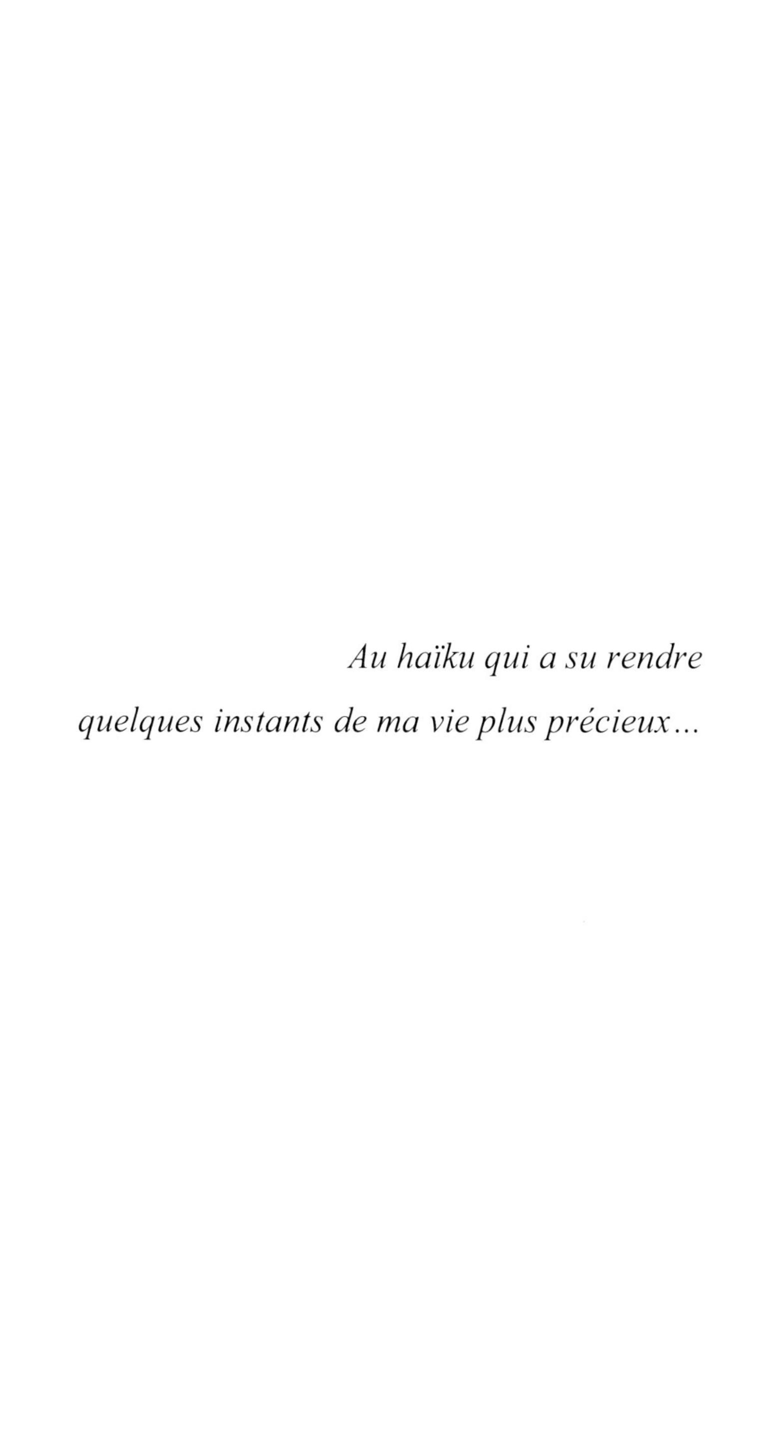

Au haïku qui a su rendre

quelques instants de ma vie plus précieux…

Le printemps retrouvé

Entré à l'hôpital
seul le cerisier serein
consulte à l'air libre

Chez l'ophtalmo
le cerisier en floraison
l'a bien vu !

Première floraison
pour le cerisier bouddhiste
ni naissance ni mort !

Printemps enneigé

des flocons ou des pétales

qui va tenir ?

Tes deux yeux

doublent la réalité

d'un monde illusoire

Klaxon dans les bois

une vache mugit au loin

soir animé !

Champ de blé en herbe

ne dépassent que les oreilles

du lièvre apeuré

Vol de papillon

le coquelicot aussi

se voit pousser des ailes

Ecacheries
l'abeille fait des cachotteries
avec une fleur

Yoga au jardin
les postures plus faciles
pour mon ombre

Posture du chien
tout comme lui
le soleil chauffe les mollets

Nuit tombante
un abribus
s'allume sur le vide

Retour du marché
le parfum de la rose
masque toute autre odeur

Un été vacant

Lumières braquées
sur le pin parasol
un chat en détresse !

Piscine naturiste
tous les regards braqués
sur mes fesses

Crépuscule
le toit du château d'eau
pagode d'un soir

Tige d’aneth
la coccinelle s’initie
à l’accrobranche

Marche afghane
suivre le cours du ruisseau
épouser ses formes

Ballots de foin
en partance sur l’autoroute
fin des vacances

Piscine de plein air
une libellule survole
l’eau vert émeraude

Début de sieste
le champ m’accompagne
de son bercement

Chaleur de septembre
une goutte de sève perle
du cèdre.

Perlant du tronc
une goutte de sève
le cèdre transpire

Prémices d'averse
un lièvre fait demi-tour
et moi aussi !

Midi ensoleillé
seule une pluie d'aiguilles
me traverse

Aux confins de l'automne

Premier jour d'automne
la pluie décolore le ciel
effacé l'été !

Autoroute
feuille à contresens
deux saisons se croisent

Quignon de pain
laissé sur la route
corbeau envolé

Selfie de l'érable
quelques taches marron
gâtent la photo

Soleil blafard
l’automne s’est trop poudré
de fond de teint !

Soir d’automne
le parfum du chèvrefeuille
doux réconfort

Ciel couvert
ce bourdon cherche
une fleur ouverte

Sans les lunettes
n’aurait jamais senti
tomber la pluie

Chants d’oiseaux
les feuilles d’érable
tombent malgré tout

Crépuscule
la feuille qui tombe
emplit la forêt

Ciel orange
la Toussaint a un air
d'Halloween

Soir d'automne
plongeon des canards
la fraîcheur s'accentue

Raclant ma gorge
au même moment une feuille
chute de la haie

Brume d'automne
les tronçonneuses au loin
ici le silence

Assis sur un banc
une soudaine éclaircie
la forêt

Un hiver isolé

Platane étêté
lumières pendues à ses branches
dégoûté !

Les jours rallongent
contempler la pleine lune
après le travail

Feu de cheminée
la fumée s'échappe
prendre l'air…

Encore l’hiver
pourtant la lumière
sur le bois du sapin

brouillard givrant
avancer à l’aveugle
éclairé par les phares

sieste d’après-midi
même l’école est plongée
dans la brume

Assis sur un banc
les chaises vides en face
nulle attente ce soir

Saint-Valentin
en tête à tête
avec la COVID

Un homme urine
le jet plus fort de la vache
dans le champ en face

Record !
le 28 février
le prunus en fleur…

Prunus en fleur
un an à t'attendre
deux semaines à vivre !

Anniversaire
pour mes trente-cinq ans
concert « Enfantaisie » !

Table des matières

Imprimé en France
Achevé d'imprimer en août 2023
Dépôt légal : octobre 2022

Pour

Le Lys Bleu Éditions
40, rue du Louvre
75001 Paris

LE LYS BLEU
ÉDITIONS